Novélisation : Elizabeth Barféty
Conception graphique : Audrey Thierry

Hachette Livre, 43, quai de Grenelle, 75015 Paris.

MONSTER HIGH

13 Souhaits

hachette
JEUNESSE

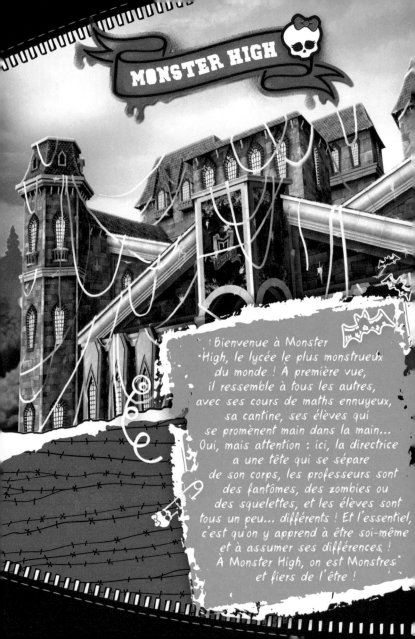

MONSTER HIGH

Bienvenue à Monster High, le lycée le plus monstrueux du monde ! A première vue, il ressemble à tous les autres, avec ses cours de maths ennuyeux, sa cantine, ses élèves qui se promènent main dans la main... Oui, mais attention : ici, la directrice a une tête qui se sépare de son corps, les professeurs sont des fantômes, des zombies ou des squelettes, et les élèves sont tous un peu... différents ! Et l'essentiel, c'est qu'on y apprend à être soi-même et à assumer ses différences ! A Monster High, on est Monstres et fiers de l'être !

FRANKIE STEIN

Frankie est la plus jeune élève de Monster High, et pour cause : elle n'a que 15 jours ! Fille du Dr Frankenstein, elle est enthousiaste et curieuse de tout. Pas étonnant, après tout : elle a tout à découvrir ! Le revers de la médaille, c'est qu'elle peut aussi se montrer un peu naïve... et très maladroite. Les fils qui maintiennent ses membres ont une fâcheuse tendance à lâcher au pire moment possible ! Heureusement, Frankie a deux meilleures amies sur qui elle peut compter : Draculaura et Clawdeen !

DRACULAURA

Draculaura est la fille de Dracula, mais attention : elle ne boit pas une goutte de sang. Non, elle est végétarienne ! Chaleureuse et attentionnée, c'est l'amie idéale, même si elle peut se montrer un peu envahissante... et très bavarde ! Comme elle ne se reflète pas dans les miroirs, elle ne peut pas vérifier son maquillage... mais à 1 600 ans, elle a assez d'expérience pour ne plus se tromper ! Son petit ami est Clawd Wolf, le frère de Clawdeen.

CLAWDEEN WOLF

Clawdeen a 15 ans
et appartient à une grande
famille de loups-garous.
D'ailleurs, certains de ses
frères et sœurs sont aussi
à Monster High, ce qu'elle
trouve plutôt énervant...
surtout quand son frère Clawd
sort avec sa meilleure amie,
Draculaura. Clawdeen a confiance
en elle, c'est une amie loyale
et une grande fan de mode.
Le problème, avec son côté
loup-garou, ce sont les poils,
bien sûr... Enfin, au moins,
elle a des cheveux sublimes !

HOWLEEN WOLF

Cette loup-garou de 14 ans rêve de devenir populaire, comme sa sœur, Clawdeen. La jeune goule en a assez de vivre dans l'ombre de la famille Wolf. Elle déteste qu'on la traite comme la petite dernière... Howleen cherche à découvrir qui elle est et manque encore beaucoup de confiance en elle. Heureusement, elle peut toujours compter sur l'amitié de Twyla !

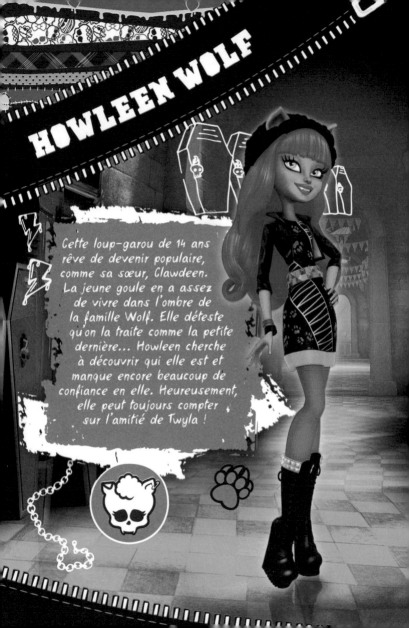

CLEO DE NILE

Princesse égyptienne âgée de plus de 5 800 ans, Cleo a un sacré caractère ! Ce qu'elle aime par-dessus tout ? Donner des ordres ! C'est pour ça qu'elle est capitaine des Pom-Pom Monstres. Il lui arrive parfois d'avouer qu'elle a un cœur, à ses amies ou à Deuce, son petit ami.

Une nouvelle année

C'est la rentrée à Monster High !
Et comme à chaque fois, les élèves
démarrent la nouvelle année scolaire
avec de grands rêves... Abbey, par
exemple, aimerait devenir Présidente des élèves désincarnés, pour
que l'école soit mieux gérée.

Lagoona, elle, souhaite que les parents de son petit ami Gil l'acceptent enfin : pas facile, les Monstres d'eau douce ont toujours méprisé les Monstres d'eau salée ! Du coup, son combat semble perdu d'avance.

— Moi, j'espère juste que rien ne changera ! annonce Cleo à son petit ami, Deuce. Ma vie est parfaite comme elle est !

Même les garçons ont leurs projets de rentrée… Clawd, Manny et Thomas espèrent être sélectionnés pour participer à l'émission de télé « Brisés d'avoir essayé ! », dans laquelle les candidats accumulent les cascades les plus impressionnantes et les plus dangereuses.

Quant à Frankie, elle est si reconnaissante d'avoir été guidée par ses amies, rencontrées l'année précédente, qu'elle a décidé de trouver une Goule qu'elle pourra aider à son tour !

Justement, un peu plus loin dans le couloir, Howleen, une adorable loup-garou aux cheveux roses, pourrait bien être la candidate idéale… Elle vient de rentrer dans une vampire, qui la remet méchamment à sa place :

— Hé ! Lève le nez de ton portable, boule de poils !

Son amie Twyla lui chuchote de ne pas y faire attention, mais le mal est fait : Howleen est vexée. Elle aimerait tellement être aussi populaire que sa grande sœur, Clawdeen ! Si c'était le cas, personne ne lui parlerait sur ce ton ! Mais comment faire pour que tous les élèves la connaissent ?

Quelques heures plus tard, dans la cour de Monster High, la jeune loup-garou termine le stand à son nom qu'elle a construit. Un plan parfait pour se faire remarquer ! Il ne lui reste plus qu'à brancher une dernière prise et son prénom s'affichera en énormes lettres lumineuses… Après ça, plus aucun élève ne pourra l'ignorer, c'est sûr !

— C'est une mauvaise idée, soupire son amie Twyla.

— Tu ne comprends pas ! rétorque Howleen, je vais devenir célèbre !

— Tous les Monstres qui comptent savent déjà qui tu es, lui répond Twyla en tournant les talons.

Howleen regarde son amie s'éloigner et secoue la tête. Rien ne pourra l'arrêter ! D'un geste décidé, elle branche la dernière prise… et provoque un gigantesque court-circuit !

Frankie, Clawdeen et leurs amies ont vu la catastrophe arriver… elles accourent, mais trop tard. Elles ne peuvent qu'assister à l'explosion. Et comme elle a lieu

juste sous les fenêtres du bureau de Madame Santête, la directrice de l'école, la sentence est immédiate pour les Goules présentes !

— C'est la pire punition qui soit ! gémit Draculaura entre deux quintes de toux.

Elles doivent nettoyer de fond en comble un vieux grenier, et toute cette poussière ne réussit pas à la jeune vampire.

Howleen a beau s'excuser encore et encore, sa grande sœur est furieuse.

— Je ne comprends pas pourquoi tu veux tellement être populaire ! grogne celle-ci.

— Simplement parce que TOI, tu es populaire ! réplique Howleen, avant d'aller s'isoler dans un coin de la pièce.

Pourquoi personne ne la comprend ? Perdue dans ses pensées, la jeune loup-garou attrape une vieille lampe qu'elle astique machinalement, quand soudain… l'objet lui échappe des mains, s'élève dans les airs et se met à briller de mille feux ! Éblouie,

Howleen ferme les yeux. Quand elle les rouvre, une jeune fille aux cheveux roses se tient devant elle.

— Bonjour, découvreuse ! Je m'appelle Gigi. Que puis-je faire pour te servir ?

Intriguées par la lumière, les autres Goules ont rejoint Howleen. Et elles n'en croient pas leurs yeux.

— Tu es… un génie ? bredouille Clawdeen. Tu exauces les vœux ?

— Oui, acquiesce la jeune fille. La découvreuse a droit à treize souhaits, qu'elle peut utiliser quand elle le désire.

— C'est vrai ? interroge Howleen, incrédule. Je peux demander n'importe quoi ? Alors…

La jeune loup-garou hésite, puis se lance.

— Je souhaite que nous ne soyons plus punies !

Zap ! Un éclair blanc enveloppe les goules, qui disparaissent aussitôt !

Ce qu'elles ignorent encore, c'est que Gigi n'est pas venue seule. Whisp, son ombre maléfique, est elle aussi sortie de la lampe…

— Parfait ! ricane cette dernière

dans l'obscurité. Une éclipse solaire va bientôt avoir lieu… Ce sera le moment idéal pour que le règne des ténèbres débute enfin !

CHAPITRE 2

L'ombre maléfique

Incrédules, Frankie et ses amies réapparaissent dans la cour de l'école.

— Génial ! s'écrie Draculaura. On n'est plus punies !

Howleen n'en croit pas ses yeux. Pourtant, elle tient toujours la

mystérieuse lampe entre ses mains…
Et Gigi n'a pas disparu.

— Si tu as besoin de moi, explique la génie, tu n'as qu'à m'appeler. Il te reste encore douze souhaits. Mais je dois t'avertir que la lampe a aussi sa part d'ombre. Tu seras sûrement tentée d'utiliser tes souhaits égoïstement. Mieux vaut agir avec prudence et sagesse !

Le problème, c'est qu'Howleen est sur un petit nuage, et elle ne semble pas prendre cet avertissement au sérieux. Quand Clawdeen tente de la ramener sur terre, la jeune loup-garou explose.

— C'est mon génie ! Tu n'as pas à me dire ce que je dois faire ! hurle-t-elle en tournant les talons, la lampe à la main.

Pourtant, une fois calmée, Howleen doit bien reconnaître que sa grande sœur a raison. Et elle est décidée à utiliser ses souhaits pour aider les autres. Alors, quand elle aperçoit Lagoona qui pleure dans le jardin de l'école, la jeune loup-garou a une idée.

— Je souhaite que les parents de Gil acceptent Lagoona ! déclare-t-elle d'une voix forte.

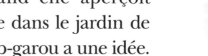

— Tes désirs sont des ordres, répond Gigi.

À nouveau, un éclair de lumière les entoure… et Lagoona réapparaît, transformée en Monstre d'eau douce ! Folle de joie, elle remercie Howleen et se précipite à la recherche de son petit ami pour lui annoncer la bonne nouvelle.

Encouragée par ce premier succès, Howleen se met en quête d'autres Monstres à aider.

Dans le hall de Monster High, elle croise son frère Clawd, toujours accompagné de Thomas et Manny. Et *zap* ! Elle souhaite que les trois garçons soient sélectionnés pour participer à leur émission télévisée préférée !

Un peu plus loin, Abbey est en pleine campagne électorale pour le poste de Présidente des élèves…

— Pour l'instant, tu es dernière dans les sondages, lui annonce tristement Draculaura.

Heureusement, Howleen passe par là… Un souhait, et voici Abbey élue !

Mais alors que la jeune loup-garou commence à se sentir vraiment bien, elle tombe de nouveau sur l'affreuse vampire qui l'a chassée tout à l'heure. Encore une fois, celle-ci lui jette un regard méprisant et lance :

— Tu n'as rien à faire ici, boule de poils ! Tu n'as rien à faire nulle part, d'ailleurs !

C'est exactement ce qu'il ne fallait pas dire à Howleen… La jeune loup-garou manque tellement de confiance en elle que cette réflexion suffit à la faire fondre en larmes. C'est le moment précis que choisit Whisp, l'ombre maléfique de Gigi, pour passer à l'action...

Elle s'approche d'Howleen et lui chuchote à l'oreille :

— C'est vrai, tu n'as de place nulle part… Pourquoi ne pas demander à Gigi de te rendre populaire ?

La loup-garou ne peut pas voir Whisp, mais chacune de ses paroles s'infiltre dans son esprit sans qu'elle en ait conscience. Elle appelle aussitôt la génie qui aperçoit Whisp, tapie près de la jeune loup-garou. Gigi tente de mettre sa découvreuse en garde contre les vœux les plus dangereux, mais Howleen refuse de l'écouter et formule quand même son souhait : c'est décidé, elle sera populaire ! La génie s'exécute donc à contrecœur.

— Ta découvreuse est faible et facile à corrompre ! ricane Whisp dès qu'Howleen a tourné les talons.

— Non ! Elle a bon cœur et des amies pour l'aider ! réplique Gigi, furieuse. Tu ne pourras pas toujours la manipuler !

Pendant ce temps, dans le couloir, Howleen profite de sa toute nouvelle popularité. Les garçons la complimentent, Operetta l'invite à la soirée qu'elle donne le week-end suivant… et même l'horrible vampire méprisante vient lui proposer de la retrouver après les cours !

Howleen est aux anges : elle a enfin ce dont elle a toujours rêvé. Elle va vite retrouver son amie Twyla pour lui proposer d'exaucer pour elle le même rêve.

— Non merci, tout va bien, lui répond-elle. Ça ne me dérange pas de vivre dans l'ombre.

Un peu plus loin, assises au bord de la fontaine, Cleo, Clawdeen et Ghoulia discutent des récents événements.

— Bien sûr qu'Howleen a changé ! s'écrie Cleo. Ce n'est pas si facile de vivre une telle popularité avec grâce et humilité… comme moi !

Alors que Clawdeen et Ghoulia échangent un regard amusé, Lagoona arrive au bras de Gil. Enchantée, elle leur apprend que sa rencontre avec les parents de Gil s'est déroulée à merveille.

— J'y retourne demain ! annonce la nouvelle Goule d'eau douce. Sa mère va me donner sa fameuse recette de spaghettis aux algues !

Les trois amies observent Lagoona et Gil s'éloigner. Étrange... La cuisine n'a jamais intéressé leur amie auparavant. Clawdeen commence à comprendre que les souhaits de sa petite sœur ont peut-être plus de conséquences qu'elle ne l'imaginait !

CHAPITRE 3

La transformation d'Howleen

Dans le bureau de la directrice de Monster High, Abbey vient d'apprendre que Mme Santête doit s'absenter quelques jours. C'est donc la Présidente des élèves qui est maintenant aux commandes de l'école !

Abbey ne perd pas une minute, et annonce sa première réforme :

dorénavant, la pause déjeuner sera réduite à vingt minutes, afin que les élèves aient plus de temps pour étudier... Inutile de dire que la mesure n'est pas bien accueillie !

Frankie, qui sert de guide à Gigi dans les couloirs de l'école, se rend compte, elle aussi, qu'Howleen a changé. Et son impression se confirme quand elle parle avec Twyla.

— Il y a quelque chose dans l'obscurité, explique cette dernière. Quelque chose qui n'était pas là avant...

Gigi fait une drôle de tête, mais refuse d'en dire davantage à ses nouvelles amies.

— La magie de la lampe m'empêche de livrer ses secrets, déclare-t-elle. La découvreuse doit faire ses propres choix... Mais ses proches peuvent l'aider !

Le secret que Gigi ne peut pas leur révéler, c'est qu'Howleen est de plus en plus manipulée par Whisp, l'ombre maléfique de la jeune génie. Elle lui souffle toutes ses décisions, poussant la loup-garou à céder à ses émotions les plus négatives...

C'est ainsi qu'Howleen finit par formuler son premier souhait cruel :

— Je souhaite que Cleo apprenne ce que ça fait de n'être personne !

Et, en un clin d'œil, plus personne ne connaît Cleo : quand elle rencontre Frankie et Draculaura dans le couloir, celles-ci la prennent pour une nouvelle élève ! Le pire, c'est que Deuce, son

petit ami, ne la reconnaît pas non
plus.

Tout paraît se détraquer rapide-
ment à Monster High… Les mesures
prises par Abbey mécontentent tout le
monde, tandis que Clawd, Thomas et
Manny n'en peuvent plus des
horribles épreuves qu'ils
doivent réaliser pour leur jeu
télé. Gil, lui, ne reconnaît plus
sa petite amie, et commence à
se dire qu'il préférait la
Lagoona d'avant. Bref,
tous les souhaits semblent
avoir des conséquences
néfastes !

Clawdeen essaie de prendre
les choses en main, et de
raisonner Howleen. Mais
l'invisible Whisp est encore

là pour chuchoter à l'oreille de la découvreuse, et la persuader que sa grande sœur est jalouse d'elle.

—Je souhaite que tu la fasses disparaître ! hurle finalement Howleen.

Gigi n'a pas d'autres choix que d'obéir… Voilà comment Clawdeen se retrouve enfermée à l'intérieur de la lampe magique, dans un étrange univers de sable où Whisp règne en maître. Au même moment, à Monster High, une ombre maléfique de Clawdeen apparaît pour prendre sa place !

Cette fois, la découvreuse a franchi la limite. D'ailleurs, le physique d'Howleen semble refléter sa transformation mentale : ses vête-ments, comme son maquillage, deviennent noirs, et ses yeux prennent un éclat méchant.

Cette transformation n'a pas échappé à Frankie et ses amies, qui tentent d'en savoir plus auprès de Gigi. Finalement, la jeune génie accepte de leur raconter toute la vérité.

Frankie, Draculaura et Ghoulia sont horrifiées d'apprendre l'exis-tence de Whisp.

— Mais où se trouve Clawdeen, à présent ? interroge Frankie, à la fin du récit de Gigi.

— Elle a été bannie dans la lampe !

La génie n'a pas terminé. Il y a plus grave encore. L'éclipse solaire se rapproche... et, quand le soleil sera entièrement dissimulé, Whisp deviendra réelle !

— Si elle arrive à convaincre Howleen de souhaiter que le génie des ténèbres devienne tout-puissant, le Mal pourrait bien triompher !

Dans la lampe

Frankie en est persuadée, une seule personne est capable de ramener Howleen à la raison : sa sœur, Clawdeen. Ses amies et elle doivent absolument trouver un moyen d'entrer dans la lampe pour aller la chercher… Et pour ça, Frankie ne voit

qu'une solution : que Whisp les y
envoie !

— Je ne peux pas vous aider,
soupire Gigi. En revanche, prenez
cette sphère. Elle vous permettra de
sortir de la lampe quand vous
y serez entrées. Attention,
elle ne peut servir qu'une
seule fois !

Frankie hoche la tête,
avant d'entraîner Dracu-
laura et Ghoulia à la
recherche d'Howleen. Et
elles ne tardent pas à la
retrouver.

— Il faut qu'on parle,
maintenant ! lance Frankie,
d'une voix décidée. Ces
souhaits sont devenus
incontrôlables.

— Annule-les ou on racontera tout à Mme Santête, et tu seras virée de l'école ! ajoute Draculaura.

L'effet de cette provocation ne se fait pas attendre. Howleen appelle Gigi et bannit les trois Goules dans la lampe !

— C'était ton huitième souhait, déclare Gigi, tandis que les doubles maléfiques de Frankie, Ghoulia et

Draculaura apparaissent aux côtés d'Howleen.

À l'intérieur de la lampe, Frankie et ses amies se mettent à la recherche de Clawdeen. Mais la tâche ne s'annonce pas facile... Le monde de la lampe est immense et bien sûr... Whisp y est toute-puissante !

Heureusement, les Goules ne se laissent pas décourager. Elles explorent les lieux sans relâche... et finissent par débusquer la loup-garou dans la bibliothèque !

— Il faut que je vous montre quelque chose ! leur dit-elle.

J'ai trouvé des informations intéres-
santes dans un livre.

Ensemble, elles découvrent l'his-
toire de Gigi et de Whisp. La jeune
génie était très heureuse de son rôle…
mais elle se sentait aussi très seule, et
rêvait d'avoir une amie.

Les Frères Grimm, des spécialistes
des génies, ont voulu l'aider. Ils ont

soufflé une idée à une découvreuse, qui a alors souhaité que l'ombre de Gigi prenne vie. Whisp était née !

Au début, elles étaient comme deux sœurs… mais Whisp ne se satisfaisait pas de n'être qu'une ombre. Elle rêvait d'être un génie, elle aussi. Quand elle a découvert qu'elle n'était pas tenue d'obéir aux règles de la lampe, elle a commencé à manipuler les découvreurs de la lampe…

Les Frères Grimm ont donc créé un miroir magique, pour protéger chacun d'eux. Lors d'un affrontement entre Gigi et Whisp, le miroir a

été brisé en treize morceaux, et les deux sœurs sont retournées dans la lampe.

— C'est pour ça que Gigi hésite tant à intervenir, comprend Frankie. La dernière fois qu'elle a essayé, le miroir magique a été détruit...

— Il faut le retrouver ! affirme Clawdeen.

La loup-garou n'a pas perdu son temps dans la bibliothèque de la lampe : elle a découvert une carte de ce monde étrange. Elle va leur être très utile pour retrouver les treize éclats du miroir !

— Le problème, soupire Clawdeen, c'est que pour l'instant, la carte ne m'a conduite qu'à de mauvais endroits !

CHAPITRE 5

Le miroir magique

Rien ne va plus à Monster High… et la plus perturbée de toutes, c'est Cleo ! L'ancienne star de l'école n'est pas habituée à ce que tout le monde l'ignore, et elle est bien décidée à remédier à cette situation intolérable. Elle a donc décidé d'organiser une grande fête, le jour de l'éclipse. Pourtant, malgré tous ses efforts, les autres élèves ne semblent pas du tout intéressés !

À vrai dire, chaque Monstre a ses propres préoccupations. Gil, par exemple, est très inquiet : le comportement de Lagoona a changé du tout au tout. Il ne reconnaît plus sa petite amie !

Quant aux doubles maléfiques de Frankie et de Ghoulia, elles sèment la terreur dans l'école, et ne lâchent pas Howleen d'une semelle… Tout comme Whisp d'ailleurs, qui lui chuchote à l'oreille :

— Tu es prête à faire ton prochain vœu ? Parce que j'ai une suggestion pour toi !

Quelques mètres plus loin, Gigi observe la scène, impuissante. Elle sait déjà ce qui va suivre… Et ça ne manque pas : Howleen l'appelle à nouveau. Quel affreux souhait va-t-elle formuler cette fois-ci ?

La pauvre Gigi n'est pas au bout de ses peines : les ombres l'entraînent droit dans le bureau de la directrice de l'école. Là, Howleen lui ordonne de

bannir Abbey ! La Présidente des élèves a visiblement eu la mauvaise idée de se mettre en travers de leur chemin…

Peu à peu, Twyla voit tous les élèves de l'école se transformer : menacés par les doubles maléfiques de Frankie et de ses amies, ils se comportent comme une armée de zombies, obéissant aveuglément aux ordres qu'ils reçoivent… D'ailleurs, ils portent maintenant tous un masque à l'effigie d'Howleen !

Depuis le balcon, la jeune loup-garou les observe scander son nom avec un sourire satisfait.

— Tu es tellement populaire ! lui souffle Whisp à l'oreille.

Pendant ce temps, dans le monde de la lampe, la vraie Clawdeen et ses amies continuent à chercher les éclats du miroir magique.

— Selon la carte, un fragment doit se trouver dans cette pièce ! annonce la loup-garou, en arrivant devant une porte. Les Goules l'ouvrent lente- ment... et poussent un cri de surprise.

— Des tapis volants ! s'écrie Draculaura, fascinée.

Pourtant, les quatre amies font demi-tour : pas le temps de s'extasier, elles ont une mission ! Alors qu'elles sont sur le point de se décourager, Ghoulia comprend soudain pourquoi la carte ne les mène jamais au bon endroit : il faut la lire à l'envers !

— L'ombre de la carte est la véri- table carte ! s'exclame Clawdeen.

Tout est inversé dans le monde de la lampe…

Les Goules se remettent en route, pleines d'espoir. Et, bientôt, elles pénètrent dans une nouvelle salle.

— Regardez ! lance Frankie. Un morceau du miroir !

À l'autre bout de la pièce, un éclat flotte dans les airs. Les Goules s'avancent prudemment quand, tout à coup, l'image de Whisp apparaît dans un miroir, juste derrière le fragment.

— Facile comme tout, n'est-ce pas, les Goules ? susurre-t-elle, avant d'éclater de rire. Vous oubliez un détail : vous êtes dans mon univers, maintenant !

À peine Whisp a-t-elle terminé sa phrase qu'une forêt de poteaux surgit du sol. Puis chacun se hérisse de lames tranchantes, qui se mettent à tournoyer à toute allure. Les Goules vont-elles prendre le risque de se faire découper ?

— Heureusement qu'on fait partie de l'équipe de gym ! remarque Clawdeen avec un petit sourire. Je m'en charge !

La loup-garou est une grande sportive. Elle s'élance, bondit, pirouette et se faufile avec agilité entre les lames acérées.

— C'était plutôt amusant ! déclare-t-elle en parvenant de l'autre côté.

Elle s'empare de l'éclat de miroir, sous les cris de joie de ses amies.

— Le premier est toujours le plus facile ! siffle l'image de Whisp dans l'éclat de miroir.

Le mystérieux monde de Whisp

— Howleen Wolf ! Dans le bureau de la directrice, immédiatement !

À Monster High, Mme Santête est rentrée de voyage... et elle est furieuse. L'école est couverte de panneaux à la gloire de la jeune loup-garou, ce qui ne laisse pas tellement de doutes sur la responsable de tout ce bazar...

— Ce genre de comportement n'est pas toléré à Monster High, jeune fille ! lance-t-elle à Howleen, quand elle la rejoint.

Mais à la grande surprise de la directrice, la jeune loup-garou n'est pas du tout impressionnée.

— Les choses ont changé ! déclare-t-elle avec un petit air supérieur. Et d'ailleurs, vous êtes virée !

Alors que la directrice proteste, Howleen se tourne vers Gigi. Un nouveau souhait, et voici Mme Santête à la porte de Monster High, ses affaires à la main ! Personne n'est autorisé à contrarier la nouvelle reine de l'école…

Pendant ce temps, à la cantine, Gil déjeune avec Lagoona. Mais on ne peut pas dire que ce tête-à-tête soit agréable…

— C'est pas croyable ce qu'Abbey et Howleen sont en train de faire…, soupire-t-il, inquiet.

— Oh, moi, du moment que je suis avec toi, je m'en fiche ! répond joyeusement Lagoona, en se précipitant pour lui couper sa viande.

Gil secoue la tête, désespéré. Il ne reconnaît plus sa petite amie. Elle a même quitté l'équipe de natation ! Elle qui aimait tant la compétition… À présent, il regrette d'avoir un jour espéré que Lagoona change… mais il est trop tard.

Et encore, le Monstre ne sait pas tout. Au même moment, Howleen s'en prend à une autre victime… Elle expédie Cleo dans la lampe magique !

Et justement, dans le mystérieux monde de Whisp, Clawdeen

et ses amies viennent de découvrir une nouvelle pièce. Les Goules entrent prudemment, quand soudain, la porte se referme derrière elles !

— J'espère que vous n'avez rien contre un peu de chaleur ! leur annonce le reflet de Whisp dans un ricanement.

Le sol se dérobe sous leurs pieds, plongeant dans un abîme rempli de lave en fusion. Tant bien que mal, les Goules s'accrochent aux piliers de la salle. Comment vont-elles s'en sortir cette fois-ci ?

Alors que tout semble perdu, la porte de la pièce s'ouvre dans un grand fracas. Abbey vient de les retrouver !

— On dirait que vous avez besoin d'un peu de fraîcheur !

Un jet de glace vient former un pont au-dessus du gouffre. Les Goules en profitent pour attraper l'éclat de miroir qui se trouvait dans cette salle avant de fuir à toutes jambes !

Dans le couloir, les amies retrouvent la pauvre Cleo... La pauvre, car les autres Goules ne se souviennent toujours pas d'elle !

— Whisp t'a bannie aussi, la nouvelle ? s'étonne Frankie.

Cleo lève les yeux au ciel, outrée… mais suit tout de même ses amies. Elle n'a aucune envie de se retrouver seule dans cet univers étrange.

Les Goules poursuivent leur progression de salle en salle, réunissant les éclats de miroir les uns après les autres.

Whisp pensait qu'elles n'auraient aucune chance dans la lampe, mais elle a commis une grossière erreur… celle de les y envoyer toutes ensemble !

— Nous avons douze éclats ! déclare enfin Clawdeen. Plus qu'un, et nous serons libres !

Suivant toujours la carte que Clawdeen a trouvée dans la biblio-

thèque, les Goules se précipitent vers la dernière porte. Mais quand elles l'ouvrent, elles se trouvent face à un mur de briques !

Heureusement, on peut toujours compter sur Ghoulia pour trouver une solution aux énigmes les plus complexes. Une nouvelle fois, c'est la zombie qui découvre la clef du mystère, et leur indique la véritable porte… qui se trouvait dans l'ombre de la première !

De l'autre côté, une pièce très particulière les attend.

— La chambre de Whisp, murmure Cleo.

Comme si cette dernière l'avait entendue, elle apparaît dans un miroir de la pièce.

— Le dernier fragment n'a jamais été dans cette chambre ! ricane Whisp. Mais peu importe… De toute façon, dans quelques minutes, tout sera terminé pour vous et pour votre école !

D'un geste, elle leur désigne Monster High derrière elle, et la foule des élèves envoûtés par Howleen.

— Quel dommage que vous ne puissiez assister au triomphe des

ténèbres qu'à travers mon miroir !
ajoute-t-elle avec un sourire satisfait.

Ces derniers mots provoquent une
étincelle sur un boulon du cou de
Frankie…

— « Mon miroir » ?! Je sais où se
cache le dernier morceau du miroir
magique ! s'écrie-t-elle.

Mais alors que tout s'éclaire dans
l'esprit de la Goule, une gargouille de

pierre prend soudain vie à côté d'elle, et lui arrache la sphère magique des mains. Impossible de quitter le monde de la lampe sans elle !

— Il faut qu'on la récupère ! hurle Frankie, en s'élançant à la poursuite de la gargouille.

CHAPITRE 7

L'éclipse

À Monster High, toute l'école s'active pour préparer la gigantesque fête prévue pour l'éclipse solaire. Howleen semble avoir perdu la raison… Elle a même fait ériger une statue d'elle dans la cour ! La seule personne qui a l'air encore saine d'esprit, c'est Twyla.

Sa discrétion légendaire lui a permis de passer inaperçue, et Howleen ne s'en est pas prise à elle. De loin, Twyla surveille son amie…

Et, à présent que l'éclipse se rapproche, elle peut même distinguer Whisp à l'œil nu, encore transparente mais bien visible ! Peu à peu, la jeune élève comprend ce qui se trame. Elle entend même Whisp s'adresser à distance à Frankie, en parlant dans son médaillon… et surprend la conversation à propos des fragments du miroir !

Un peu plus loin, assise à côté d'Howleen, Gigi enrage.

— Tu ne l'emporteras pas, Whisp ! marmonne-t-elle.

Mais sa sœur maléfique lui jette un regard méprisant.

— Tu es aussi stupide que ces pauvres Goules en train de poursuivre leur sphère dans la lampe ! Elles n'arriveront jamais à temps !

Malheureusement, Whisp a raison : en levant le nez, Gigi constate que l'éclipse est imminente. Son double maléfique se penche à l'oreille d'Howleen et murmure :

— Maintenant, souviens-toi du souhait dont nous avons parlé… Le génie des ténèbres doit devenir tout-puissant !

Cette fois-ci, Twyla a tout entendu. Et elle a aussi repéré le dernier fragment du miroir magique, qui se trouve dans le médaillon de Whisp !

— Il faut que je prévienne Frankie, chuchote-t-elle.

Dans la lampe, la course-poursuite continue, mettant à contribution tous les talents des filles. À dos de tapis volant, elles filent derrière la gargouille, zigzaguent entre les

obstacles, combattent à coups de jets de glace… Enfin, Frankie parvient à récupérer la sphère, évitant de justesse qu'elle ne tombe dans la lave !

— Fais-nous sortir ! crie-t-elle à l'objet sans perdre un instant.

Les Goules sont entourées d'un grand éclair blanc et se retrouvent enfin à l'air libre. À Monster High, leurs doubles maléfiques disparaissent sous les yeux de Whisp, qui trépigne de rage.

Quelques instants plus tard, le téléphone de Frankie sonne : c'est Twyla. Ravie d'avoir une nouvelle alliée, Frankie lui explique leur plan.

Whisp ne perd pas espoir pour autant : la victoire qu'elle attend depuis des siècles est à portée de main, ce n'est plus qu'une question de secondes maintenant... Une dernière fois, elle répète à Howleen le vœu qu'elle devra formuler quand l'éclipse solaire sera complète : que la génie du mal devienne toute-puissante... Mais elle

n'a pas terminé qu'une voix furieuse l'interrompt.

— Ça suffit comme ça, ombre des ténèbres ! hurle Clawdeen. Rends-moi ma sœur !

— Vous n'avez pas tous les fragments ! réplique Whisp.

Juste à ce moment-là, le soleil se voile et l'obscurité se répand. Aussitôt,

Whisp se matérialise pour de bon,
lâchant son médaillon au passage.

— C'est le moment, fais ton
souhait ! ordonne-t-elle à Howleen.

— Twyla, s'écrie Frankie au même
instant, maintenant !

La Goule se précipite et récupère
le dernier fragment du miroir

magique dans le médaillon. Puis elle le lance à ses amies. Dans un éclair aveuglant, le miroir magique se reforme sous leurs yeux. Juste à temps !

Bouche bée, elles le regardent voler jusqu'à Howleen. Nul ne sait ce que la jeune loup-garou y voit. Peut-être des aspects d'elle-même qu'elle avait oubliés ? Peut-être se voit-elle enfin comme elle est vraiment, avec tous ses défauts et ses qualités… et que, pour la première fois de sa vie, elle apprend à s'aimer comme elle est ?

Quoi qu'il en soit, Howleen reprend ses esprits. Et quand

Whisp, impatiente, lui ordonne à nouveau de faire son souhait, elle secoue la tête et réplique :

— Non ! J'en ai assez de faire ton sale boulot !

— Pense à la puissance que nous aurions..., tente de l'amadouer le génie maléfique.

— J'ai tout ce dont j'ai besoin, ici même ! répond fièrement la jeune loup-garou.

Déjà, l'éclipse s'achève. Le soleil perce de nouveau, et dès que ses rayons atteignent Whisp, celle-ci redevient une ombre en poussant un hurlement de dépit.

Folle de joie, Clawdeen se précipite vers Howleen et la serre dans ses bras.

— Merci à toutes de ne pas m'avoir

abandonnée, murmure la jeune loup-garou, très émue.

— Nous serons toujours là pour toi, lui promet Twyla en souriant.

Le nouveau génie

Une fois les retrouvailles des Goules terminées, Gigi prend la parole.

— L'éclipse est passée, explique-t-elle à Howleen. Tu peux maintenant utiliser tes deux derniers souhaits en toute sécurité.

Il ne faut pas longtemps à la jeune loup-garou pour choisir le suivant… Elle veut bien évidemment réparer ses erreurs… ce qu'elle fait en annulant tous ses précédents souhaits !

Immédiatement, les élèves de Monster High sont libérés de l'envoûtement, Mme Santête réapparaît dans son bureau et Lagoona redevient un Monstre d'eau salée.

— Tu es revenue, tu es toi-même ! s'écrie Gil, en la faisant tournoyer dans ses bras.

Cleo, elle, ne sent rien de particulier.

—Est-ce que ça a marché ? s'interroge-t-elle avec angoisse. Dis-moi comment je m'appelle ! hurle-t-elle, en secouant Clawdeen par les épaules.

— Désolée, répond la loup-garou, je n'en ai aucune idée, la nouvelle !

Mais devant l'air désemparé de son amie, Clawdeen lui avoue que ce n'était qu'une blague. Bien sûr qu'elle se souvient de Cleo… tout comme Deuce, qui accourt vers la princesse égyptienne ! Cleo se jette dans ses bras. Enfin, tout rentre dans l'ordre !

Quant à Clawd, Manny et Thomas, ils s'apprêtent à franchir la ligne d'arrivée et à devenir les premiers vainqueurs de tous les temps du jeu télévisé… quand tout disparaît autour d'eux !

— Un dernier souhait nous renverra, Whisp et moi, à l'intérieur de la lampe, déclare Gigi. Nous sommes prêtes.

Malgré sa détermination, la jeune génie ne peut cacher sa tristesse. Toutes les Goules s'en aperçoivent, et elles la supplient de rester à Monster High.

— J'aimerais beaucoup connaître la vie d'une vraie adolescente, soupire Gigi. Mais je suis un génie, je n'ai pas le choix !

— Et si tu l'avais ? demande Howleen, une lueur malicieuse dans le regard.

La jeune loup-garou se tourne vers
Whisp.

— Je comprends ce que tu ressens,
lui dit-elle. Tu en avais assez de rester
dans l'ombre, pendant que Gigi sortait
et s'amusait. Je sais combien c'est diffi-
cile de vivre dans l'ombre de
quelqu'un. Mais si tu devenais le génie,
tu pourrais vivre en sortant à ton

tour… et tu devrais suivre les règles de la lampe !

Ses amies approuvent : Howleen a raison. Voici un moyen de s'assurer que Whisp ne soit plus tentée par les ténèbres… et que Gigi reste avec elles à Monster High !

— À toi de choisir ! lance la jeune loup-garou à Whisp.

— C'est ce que j'ai toujours voulu, murmure l'ombre, émue.

Howleen sourit et souhaite que Whisp devienne le nouveau génie… Gigi serre une dernière fois sa sœur dans ses bras, avant d'exaucer le souhait d'Howleen. Radieuse, Whisp disparaît dans la lampe, qui dégringole au plus profond d'un bassin de Monster High. Et dans cette école, personne ne peut dire si les bassins ont un fond… Qui sait ? Peut-être qu'un jour, quelqu'un l'y retrouvera… En attendant, à Monster High, c'est le moment de faire la fête !

— Ce serait bête de ne pas profiter de tous ces préparatifs ! s'exclame Cleo. Qu'en dis-tu, Howleen ?

— Je ne pensais pas être invitée…, bredouille la jeune loup-garou.

— Voyons, si tu viens, je suis sûre que tout le monde viendra !

Et c'est sur ces paroles qu'Howleen a toujours rêvé d'entendre que la soirée commence ! Les élèves dansent, les couples se retrouvent… mais aussi les amies. Et ce soir, même la discrète Twyla accepte d'être dans la lumière !

— Finalement, la seule chose qu'il faut souhaiter, conclut Frankie, c'est de découvrir qui on est vraiment !

 Fin

Retrouve bientôt les élèves de Monster High dans une nouvelle aventure en Bibliothèque Rose !

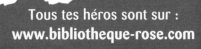

TABLE

PAPIER À BASE DE
FIBRES CERTIFIÉES

hachette s'engage pour l'environnement en réduisant l'empreinte carbone de ses livres. Celle de cet exemplaire est de :

400 g éq. CO_2

Rendez-vous sur
www.hachette-durable.fr

Photogravure Nord Compo - Villeneuve d'Ascq

Imprimé en Espagne par CAYFOSA
Dépôt légal : septembre 2014
Achevé d'imprimer : septembre 2014
65.0005.3/01 – ISBN 978-2-01-400266-9
Loi n° 49956 du 16 juillet 1949
sur les publications destinées à la jeunesse